A Buena Dapolonia

– Monsieur le lièvre, je suis embarrassée.

Voulez-vous m'aider?

– Embarrassée? dit le lièvre. Je veux bien t'aider si je peux.

– Monsieur le lièvre, c'est pour ma maman.

– Pour ta maman?

– Oui, pour son anniversaire.

– Joyeux anniversaire! dit le lièvre. Et que vas-tu lui offrir?

– C'est justement ce que je ne sais pas.

– Tu n'as rien à offrir à ta maman pour son anniversaire ? Alors, petite fille, tu as vraiment besoin qu'on t'aide !

– Je voudrais lui offrir quelque chose qu'elle aime bien.

– Quelque chose qu'elle aime ! Ça, c'est un beau cadeau, dit le lièvre.

– Oui, mais quoi? dit la petite fille.

– Que lui offrir? dit le lièvre.

– Elle aime le rouge, dit la petite fille.

– Le rouge? Tu ne peux pas lui offrir du rouge?

– Peut-être quelque chose de rouge, dit la petite fille.

– Bon, quelque chose de rouge, dit le lièvre.

– Qu'est-ce qu'il y a de rouge? dit la petite fille.

– Par exemple, il y a des bas rouges... dit le lièvre.

– Non, je ne peux pas lui offrir des bas rouges.

– Il y a aussi des toits rouges... dit le lièvre.

– Non, nous avons déjà un toit.

Je ne veux pas lui offrir un toit.

– Si tu lui offrais des oiseaux rouges? des rouges-gorges?

dit le lièvre.

– Non, dit la petite fille, maman ne les aime

que dans les arbres.

– Peut-être une voiture de pompiers, toute rouge?

dit le lièvre.

– Non, dit la petite fille, elle n'aime pas

les voitures de pompiers.

– Et des pommes rouges?

– Bravo! C'est une bonne idée. Maman aime les pommes.

Mais je voudrais bien lui offrir encore quelque chose.

– Qu'est-ce qu'elle aime encore? dit le lièvre.

– Elle aime le jaune.

– Le jaune? dit le lièvre.

Tu ne peux pas lui offrir du jaune?

– Peut-être quelque chose de jaune, dit la petite fille.

– Bon. Quelque chose de jaune, dit le lièvre.

– Qu'est-ce qu'il y a de jaune? dit la petite fille.

– Attends un peu, dit le lièvre. Il y a
   des boîtes aux lettres jaunes.
– Je suis sûre que maman ne veut pas de boîte aux lettres,
   dit la petite fille.
– Le soleil est jaune, dit le lièvre.
– Je ne peux pas lui offrir le soleil, dit la petite fille.
– Les canaris sont jaunes, dit le lièvre.
– Maman ne les aime que dans les arbres, dit la petite fille.

– C'est vrai, dit le lièvre. Tu me l'as déjà dit.

Le beurre aussi est jaune. Aime-t-elle le beurre?

– Nous en avons déjà à la maison, dit la petite fille.

– Les bananes sont jaunes, dit le lièvre.

– Magnifique! C'est magnifique, dit la petite fille.

Maman aime les bananes. Mais je voudrais bien

lui offrir encore autre chose.

– Qu'est-ce qu'elle aime encore? dit le lièvre.

– Elle aime le vert, dit la petite fille.

– Le vert? dit le lièvre. Tu ne peux pas lui offrir du vert?

– Peut-être quelque chose de vert, dit la petite fille.

– Qu'est-ce que tu dirais d'une émeraude?
Une émeraude, ce serait vraiment un très beau cadeau,
dit le lièvre.

– Mais c'est très cher, une émeraude! dit la petite fille.

– Les perroquets aussi sont verts, dit le lièvre,
mais ta maman ne les aime que dans les arbres.

– Pas de perroquets, dit la petite fille.

– Des petits pois et des épinards? dit le lièvre.

Les petits pois sont verts, les épinards aussi.

– Surtout pas de petits pois ni d'épinards,

dit la petite fille. On en mange à tous les repas.

– Des chenilles? dit le lièvre.

Beaucoup de chenilles sont vertes.

– Elle n'aime pas beaucoup les chenilles, dit la petite fille.

– Et des poires? dit le lièvre.

De belles poires des champs, bien vertes.

– C'est ce qu'il nous faut, dit la petite fille.

Maintenant, j'ai des pommes, des bananes et des poires.

Mais je voudrais bien lui offrir encore quelque chose.

– Qu'est-ce qu'elle aime encore ta maman? dit le lièvre.

– Elle aime le bleu, dit la petite fille.

– Le bleu? Tu ne peux pas lui offrir du bleu? dit le lièvre.

– Peut-être quelque chose de bleu, dit la petite fille.

– Les lacs sont bleus, dit le lièvre.

– A quoi pensez-vous, Monsieur le lièvre,
  je ne peux pas lui offrir un lac!

– Le ciel est bleu.

– Le ciel, on ne peut pas l'offrir! dit la petite fille,
mais si c'était possible je le ferais.

– Des saphirs feraient un beau cadeau, dit le lièvre.

– Les saphirs sont trop chers, dit la petite fille.

– Les martins-pêcheurs sont bleus, dit le lièvre,
mais ta maman n'aime les oiseaux que dans les arbres.

– C'est vrai, dit la petite fille.

– Que dirais-tu de cette grappe de raisin? dit le lièvre.
N'est-elle pas toute bleue, sous la rosée?

– C'est bien. C'est très bien, dit la petite fille.

Maman aime le raisin.

Maintenant j'ai des pommes, des bananes,

des poires et du raisin.

– Quel beau cadeau ! dit le lièvre.

Maintenant il ne te manque plus qu'un panier.

– J'ai un panier, dit la petite fille.

Elle va chercher son panier

et le remplit avec les pommes rouges,

les bananes jaunes, les poires vertes et le raisin.

Quel beau cadeau !

– Je vous remercie de m'avoir aidé,

Monsieur le lièvre, dit la petite fille.

– N'en parlons plus, dit le lièvre. Ça m'a fait plaisir.

– Alors, au revoir, Monsieur le lièvre, dit la petite fille.

– Au revoir, petite fille, dit le lièvre.

Je souhaite à ta maman un bon anniversaire.